돌담 속에 핀 우영팟민들레

저자 성우민

심장병을 앓아 반쪽짜리 심장으로 살아가지만 잘 극복하면서 건강한 삶을 살아가고 있는 청년 작가입니다.
제주의 자연과 함께 성장하며 자신의 경험과 생각을 담은 글을 쓰며 건강하게 살아가고 있습니다.

그림 한미경

제주 서귀포에서 힐링과 성장을 하며 제주 자연을 눈으로 보고 마음에 담고 사는 제주 사람입니다. 현재는 제주도의 자연과 문화를 배우는 데 집중하고 있습니다.

돌담 속에 핀 우영팟 민들레

글 성우민 ㅣ 그림 한미경

난 또 입원

엄마와 난 붕어빵

마지막 학교 생활

초록 책상

우리 집은 농장

여행은 즐거워

성우민 제주 청년 작가의 어린 시절 일기장을 통해 엄마의 인생을 함께 살펴보는 에세이입니다. 작가의 어린 시절 일기장을 통해 엄마의 인생도 함께 살펴보며 가족의 소중함과 사랑을 느낄 수 있습니다. 아이의 시선으로 바라본 세상과 가족, 친구들과의 이야기는 독자들에게 따뜻한 감동과 제주에 사는 작가의 눈을 통해 바라본 제주도 엿볼 수 있습니다. 내 아이의 어린 시절의 추억을 떠올리면서 자신의 인생을 되돌아보는 계기가 되었으면 좋겠습니다.

엄마는 왕

저는 엄마를 무척 사랑하는 아들 성우민입니다. 오늘은 어버이날을 맞이해서 엄마에게 감사의 마음을 전하고 싶어, 이렇게 편지를 썼어요.

엄마는 누가 뭐라 그래도 최고의 왕이세요. 나를 보살피느라 힘드실 텐데 저를 위해 돈을 벌러 다니시잖아요. 아주 힘드실 거예요. 그런 엄마를 보면 항상 미안하고 감사한 마음이 들어요. 저도 엄마를 위해 항상 노력하고 있어요.

공부도 열심히 하고, 집안일도 도와드리려고 해요 하지만 아직 많이 부족해요. 엄마는 제게 많은 것을 가르쳐 주셨어요. 존경하고 사랑해요. 영원히 효도하며 살게요.

2013년 5월 8일

1장

난 또 입원

9살이 되다

벌써 1년이 다 지났다. 그리고 새해 날이다. 새해에 관해 책을 읽어 봤는데 새해는 원래 4월 1일에서 1월 1일로 바뀌었다고 한다. 오늘은 정말 좋은 날이다. 9살이 되었지. 새해가 엄마 생신이지. 10살 때도 행복해지면 좋겠다.

넘지 못하는 130cm

병원에 갔다. 담당 의사 선생님인 김성호 과장님이 내려오셨기 때문이다. 나는 심장 검사가 몇 개 끝나고 키를 쟀는데 129센티였다. 나는 130센티가 안 되어서 아쉬웠다. 난 3학년치고는 너무 작다. 엄마는 어릴 때부터 병원에 입원하면 금식하기를 밥 먹듯 해서 키 그지 못했다가 미안하다고 했다. 엄마 잘못도 아닌데 엄마는 늘 내가 아픈 걸 미안해했다. 지금부터 잘 먹어서 두 달 후에 가는 검사 때는 130센티를 반드시 넘겠다.

엄마의 부채

　여름은 무척 덥다. 그래서 엄마가 옷 시원하게 입고, 선풍기를 틀라고 하고 외출하셨다. 그런데 나는 그만 까먹었다. 나는 너무 더운데도 선풍기를 트는 것을 잊고 컴퓨터게임에 빠졌다.

　어렸을 때도 나는 외출할 때 모자를 쓰면 집에 올 때까지 한 번도 안 벗고, 외투를 입으면 더워도 안 벗고 그런 아이였다고 했다.

　너무 더우면 '일사병'에 걸린다고 말씀하셨는데, 몸에서 열이 나기 시작했다. 엄마에게 전화를 걸었고 우린 병원으로 갔다.

　선생님은 에어컨도 틀고 시원하게 살라고 하셨다. 엄마는 집에 오자마자 에어컨도 틀고 외출할 땐 엄마 목에 꼭 부채가 걸려 있었다.

난 또 입원

파란 나라가 끝나고 엄마 차를 기다리고 있는데 갑자기 배가 아파
져 오기 시작했다. 화장실도 다녀왔는데도 그렇다. 엄마와 병원에 갔
더니 폐렴 증세가 아직 남아 있다고 한다. 그래서 난 또 입원을 해야 한
다. 엄청난 바람이 불어 춥다는 생각이 들었는데 폐렴이 바람과 함께
나에게로 왔다. 4월인데도 왜 이렇게 추운 건지 학교에 안 가는 건 좀
아쉽지만 약 먹고 잘 지내서 빨리 퇴원해야지. 빨리 폐렴이 낫기를 기
도해야겠어.

CT 촬영

오늘은 학교 수업 1교시만 하고 한라병원에서 CT 촬영을 했다. CT 촬영을 하기 위해 주사를 맞아야 하는데 엄청나게 울었다. 또 CT 촬영을 할 땐 숨을 참아야 해서 힘들었다. 하지만 다행히 수술은 안 해도 된다고 했다. 진짜 살았다. 아침 금식이어서 검사를 마치고 점심때 아주 많이 먹었다. 내가 건강해졌으면 좋겠다. 어릴 때부터 나는 병원에서 살다시피 했다. 학교도 못 다니고, 그것보다 피 토하는 것이 싫다.

줄넘기

줄넘기를 연습하는데 23개나 했다. 더 연습하니까 30개를 넘겼다. 엄마께서 엄청나게 잘한다고 칭찬해 주셨다. 칭찬받으니까 더 잘하고 싶어 더 연습했다. 언젠가는 100개도 할 수 있겠지? 엄마처럼 1,000개도 하고 싶다.

생일잔치

　독서클럽에서 내 생일 잔치를 했다. 나와 석이, 여름이 정민이는 간식을 먹고 놀이터에 가서 축구했다. 나는 축구를 잘 못한다. 그래서 친구들이 하는 것을 구경했다. 그런데 석이가 같이 하자고 했다. 석이는 축구를 엄청나게 잘한다. 놀이터에서 다른 것들도 타면서 놀았다. 한참 놀다 보니 저녁이 다 되어 나랑 하늘이만 남았다. 돌아갈 땐 아쉬웠지만 생일 선물도 받고 좋았다. 지금까지 생일을 항상 가족끼리만 했는데 친구들과 함께 한 시간도 참 좋았다. 친구를 많이 사귀고 싶은데 난 용기가 나질 않는다.

옆집 못된 아이들

옆집에 사는 아이들이 나만 보면 '메롱'하고 도망친다. 내가 쳐다 봤더니 "까불지 마"하고 갔다. 나는 너무 화가 나 엄마에게 얘기했다. '아이들이 너무 어려서 그런가?'하고 말았다. 엄마가 원망스러웠다.

아이들이 오늘은 웬일로 그냥 지나간다. 조금 있으려니 엄마가 아이들과 옆집 아줌마와 함께 들어오셨다. 엄마가 친해질 자리를 마련한 것이라고 했다. 집에 있는 보드게임을 꺼내 놀다 보니 아이들이 귀여워졌다. 나랑 친해지고 싶어 그런 거였다. 나도 마음의 짐을 풀었다

헤딩슛

지난번 서현이와 축구 경기를 한 적이 있었다. 그때 헤딩슛도 배웠다. 오늘 점심 시간에 나, 서현, 그리고 대근이 다른 반 친구 3명과 축구 시합을 했다.

먼저 서현이가 공을 잡았다. 슛했으나 키퍼에게 막혔다. 공이 내게로 왔다. 얼떨결에 서현이에게 다시 패스했는데 서현이가 정말 멋진 슛을 했고 골인!! 1:0 우리가 앞서기 시작했다.

나에게 공이 왔다. 다른 반 친구에게 공을 뺏기고 말았다. 그 순간 슈팅, 우리가 골을 먹혀 1::1이 되었다. 서현이, 대근이, 나는 열심히 달렸다. 하지만 나는 체력이 너무 약해서 더 이상 달릴 수가 없었다. 그 순간 공이 나에게 날아왔다. 있는 힘껏 공을 찼는데 골키퍼 앞까지 갔다. 그렇게 간 것만으로도 나는 기뻤다. 우리는 열심히 노력했지만 3:4

로 지고 말았다. 참, 나는 지난번에 서현이에게 배운 헤딩슛도 해봤다. 머리가 띵하니 넘어질 것 같았다. 그래도 여럿이 하는 곳에 나를 끼워 준 것도 신나는 일이다. 하지만 너무 무리한 탓인지 그날 몸이 좀 아팠다. 엄마는 또 걱정이지만 나는 너무나 신나는 하루였다.

한국 vs 아르헨티나

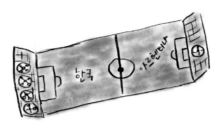

저녁에 한국과 아르헨티나가 축구 시합을 한다. 그래도 아직 경기를 안 하였지만 이겼다고 생각하면 이길 확률이 99.9%일 것 같다. 꼭 이겼으면 좋겠다.

하지만 나의 바람과는 달리 한국이 1:4로 패했다. 정말 분하다. 22일에 열리는 나이지리아와의 경기는 꼭 이겼으면 좋겠다. 새벽에 3시 30분에 해서 내가 볼 수 있을까. 엄마에게 깨워달라고 부탁해야겠다.

네잎클로버

　　세 잎 클로버는 행복, 네잎클로버는 행운이라고 했다. 난 운이 좋다. 네잎클로버를 잘 찾는다. 요즘은 흔한 일이다. 네잎클로버가 낸 눈에 정말 잘 보인다. 오늘도 또 찾았다. 나는 진짜 행복한 아이다. 이번 네잎클로버는 엄마께 가져다드려야겠다. 슬픔은 나누면 반이 되고 기쁨을 나누면 두 배가 된다고 했으니, 행운을 나누면 두 배가 되겠지.

2장

엄마와 난 붕어빵

휴대폰과의 전쟁

교회 청소년부에서 여름성경캠프를 했다. 당연히 참여해야 한다는 엄마 말에 가기 싫었지만 억지로 가게 되었다.

예배를 드리고 점심까지 먹었다. 조금 있으니, 선생님께서 휴대폰을 내라고 했다. 나는 싫다고 하면서 교회 밖으로 도망쳤다.

엄마에게 전화가 왔다. 받지 않았다. 갑자기 무서워졌다. 그래서 전원을 껐다. 다시 교회로 갔다. 엄마가 기다리고 있었다. 엄마를 본 순간 너무 무서워 도망쳤다.

한참을 헤매다가 집으로 들어가려고 문을 열려고 비밀번호를 눌렀는데 안 열린다. 키 누르는 소리에 엄마가 나왔다. 나는 다시 도망쳤다. 하지만 다시 집으로 돌아가 계단에 앉아 있었는데 문이 열렸다.

엄마의 화난 얼굴을 보니 항복해야 했다. 엄마는 정말 화가 나면

오히려 말하지 않는다. 그럴 땐 정말 무섭다. 난 얼음이 되었다. 그때 엄마가 휴대폰을 달라고 했다. 나는 주지 않았다. 엄마는 화도 내지도 않고 바로 휴대폰을 정지시키고 말았다. 나는 더 이상 휴대폰을 쓸 수 없게 되었다. 정말 엄마는 '독'하다.

엄마의 시험

엄마는 대학을 늦게 가셨다. 중간고사 시험을 치는 날이다. 우와 시험 범위가 무려 1권에 1~387쪽까지 한다고 하였다.

다음 주 일요일에 또 시험이 있다고 하였다. 우리 엄마는 정말 불쌍하다. 왜냐하면 지난주 일요일에도 시험을 봤는데 또 시험을 봐야 하니까 힘들겠다. 그렇지만 엄마라면 잘 볼 수 있을 것이다. 엄마가 힘을 내면 좋겠다. 엄마는 한다면 한다는 성격이라 잘할 거라 믿는다.

엄마가 아프다

바람이 많이 분다. 겨울이어도 밖에 나갈 때가 있지만 오늘은 못 나갈 것 같다. 엄마는 심한 감기에 걸리셨다. 나는 정성으로 간호했다. 머리에 물수건도 얹어주고 약도 챙겨드렸다. 늘 웃음이 많은 천사 같은 엄마, 화가 날 때 마녀, 지금은 누워 있는 모습이 마치 아기 같다. 내가 잘 간호해 드려야겠다.

이렇게 바람이 많이 부는 날은 '이파리는 떨어지고 나무는 서 있다.'라는 말이 떠오른다.

제주어 '이'

엄마와 밥을 먹으면서 이런저런 이야기를 하다가 엄마가 제주어로 말을 이어갔다. 엄마는 제주도에서 태어났고 나는 부산에서 태어났다. 6살에 제주도로 내려왔다.

엄마는 제주도 사람이라 제주어를 잘 쓰신다. 그리고 제주어를 공부하기 시작했다. 그러더니 내가 알아듣지도 못하는 제주도 말을 쓰신다.

"우민아 잘 자시냐?" 나는 이 정도 말은 알아듣는다. "우민인 잘도 착해 이" 그리고 보니 엄마 말에 '이'가 자꾸 붙는다. 나는 끝에 '이'만 붙이면 제주도 말이라고 생각해서 엄마 말에 "네이"라고 했다. 엄마는 웃음을 터뜨렸다. 엄마도 덩달아 "네이"라고 한다. 사실 '이'만 붙인다고 제주어는 아니지만 제주어에는 '이'가 많이 붙긴 하는 것 같다.

엄마는 왕

안녕하세요.

저는 엄마를 무척 사랑하는 아들 민들레입니다. 엄마는 누가 뭐라 그래도 최고의 왕이세요. 나를 보살피느라 힘드실 텐데 저를 위해 돈을 벌러 다니시잖아요. 아주 힘드실 거예요. 존경하고 사랑해요. 영원히 효도하며 살게요.

2013년 5월 8일

카레볶음밥

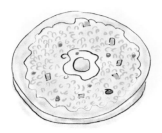

아침에 카레볶음밥을 먹었다. 케첩을 뿌려 먹으니까 더 맛있었다. 아주 부드럽고 촉촉했다. 지금까지 엄마가 해준 음식 중에서 가장 맛있었다. 엄마는 요리를 잘한다. 된장찌개, 김치찜, 비빔국수, 떡국, 카레 등 엄마가 해주는 음식은 정말 다 맛있다.

엄마는 원래 요리하는 것을 더 좋아했다고 한다. 그런데 손님을 초대하고 정성스레 준비했는데 순식간에 다 드시는 거 보고 준비하는 시간에 비해 드시는 시간이 너무 짧아 요리에 흥미를 잃었다고 했다. 그래도 엄마는 음식을 잘 만든다. 하기 싫다며 내가 해달라고 하는 건 다 해주신다.

외할머니

할머니가 우리 집에 처음으로 놀러 오셨다. 그래서 함께 에코랜드에 놀러 갔다. 그곳에서 꽃이랑 여러 가지 구경하고 기차도 3번이나 탔다. 아기 때도 에버랜드에서 꽃 기차를 3번이나 탔다고 했는데 난 기억이 없다.

할머니는 유난히 나를 아끼셨다. 아파서 그런 것도 있을 것이다. 나만 보면 안타까워 나를 만지고 만지셨다. 그리고 엄마 몰래 용돈도 주신다. 아프지 말라고, 맛있는 거 많이 먹고 얼른 건강해지라고 말한다. 이젠 할머니가 하늘나라에 계셔서 볼 수 없다. 엄마는 구름을 보면 할머니 생각이 나신다고 하셨다.

서귀포 향토 오일시장

　오일장에 갔다. 내 장갑과 바지를 샀다. 엄마는 할머니의 몸뻬바지, 잠바와 스타킹, 내복, 그리고 잠옷을 샀다. 채소를 팔며 졸고 계신 할머니가 외할머니를 닮았다.

　오일장을 구경하느라 좀 힘들기도 하고 졸리기도 했다. 그래도 오랜만에 가서 참 재미있었다.

불이 났어요

엄마는 저녁을 먹고 산책하러 나갔다. 나는 집에서 컴퓨터를 하고 있었다. 이상한 냄새가 집안으로 스멀스멀 들어오는 느낌이었다. 거실에 나가 보니 가스렌인지에서 불이 나고 있었다.

급하게 엄마에게 전화를 걸었는데 전화를 받지 않는다. 엄마는 직업이 강사라 항상 무음 놓는 것이 습관화되어 전화를 잘 안 받으신다.

나는 겁이 나서 옆집에 사진관으로 달려가 도와달라고 했다. 아저씨가 집에 와서 가스를 끄고 타고 있는 냄비를 처리해 주었다. 그리고 아저씨가 엄마에게 전화를 걸었는데 마침 엄마가 전화를 받았고 급하게 집으로 돌아왔다. 아저씨는 엄마가 오실 때까지 기다려주셨다. 참으로 고마운 아저씨다.

엄마의 자전거

　여름만 되면 엄마는 할아버지와 자전거를 타고 수박밭을 지키러 갔단다. 수박밭이 어지나 큰지 끝이 보이지 않았다. 원두막에 수박 하나 썰어놓고 할아버지는 낮잠을 자고 엄마는 만화책을 봤다.

　그때는 서리를 하는 사람들이 많아서 당번을 정해서 수박밭을 지켜야 했다. 하루는 할아버지랑 하루는 이모랑 자전거를 타고 가는 그 길이 참 좋았단다.

　덜컹덜컹하는 농로를 가고 있노라면 마음이 두근두근 '오늘은 내가 반드시 서리하는 사람을 잡고 말겠어.'

　할아버지는 기다림이 지루했는지 엄마에게 자전거를 가르쳐 주었단다. 자전거가 엄마에게는 너무 컸다. 그래도 할아버지가 잡아주는 그 시간이 참으로 행복했단다.

그렇게 엄마는 자전거를 배우기 시작했고 스스로 탈 수 있게 되었
다. 엄마는 호기롭게 혼자 자전거를 타러 갔고 한참 재미있게 타고 집
으로 돌아가는 길 내리막길에서 엄마는 브레이크를 잡을 줄 몰라 곧장
밭으로 곤두박질치고 말았단다.

산지천 물놀이

저녁에 산지물에 갔다. 처음엔 물이 있었다. 물을 보니까 들어가지 않아도 시원한 느낌이었다. 물에 들어가니 더 시원해졌다. 물장구를 치며 신나게 놀았다. 산지물은 여름에만 폭포가 솟아난다고 하였다. 다음에도 오고 싶다.

엄마는 어렸을 때 여름이 되면 우리는 부둣가에 가서 아이들과 풍덩풍덩 높은 곳에서 다이빙하면서 놀았단다. 순서를 정해서 한 명씩 다이빙하며 놀았다고 했다.

엄마와 나는 붕어빵

    방학 시작 땐 아주 좋았는데 벌써 내일이면 개학이다. 그래서 너무 아쉬웠다. 그래서 나머지 숙제를 하였다. 그리고 이 일기를 방학 마지막 날 쓴 거여서 더 아쉬워진다. 그래도 내일도 열심히 지낼 거다. 엄마도 일기를 방학 하루 이틀 전에 몰아서 썼다고 했다.

    일기장에 날씨랑 제목만 적어두고 그것을 보면서 벼락치기 숙제를 했단다. 그러면서 엄마는 나보고 미리미리 안 한다고 야단이다. 엄마와 나는 붕어빵

노꼬매오름

노꼬매오름에 갔다. 올라갈수록 힘이 들었다. 다시 내려가고 싶었지만, 엄마의 설득과 무언의 압력으로 정상에 발을 내디뎠다. 그곳에는 '패러글라이딩'을 타는 사람들이 보였다. 패러글라이딩이란, 사람이 낙하산 같은 것을 타고 하늘을 나는 것이다. 나도 한번 타보고 싶었다.

엄마는 20살 때쯤 기구를 타보았다고 했다.

하늘에 두둥실 떠올랐을 때쯤 강풍이 불어 두박질쳤다. 엄마는 그때만 생각해도 심장이 뛴다고 했다.

3장

마지막 학교생활

나는야 꼴찌

운동회를 하였다. 국민체조와 교장 선생님의 말씀으로 운동회가 시작되었다. 처음은 달리기였다. 나는 연습은 했지만, 연습 때도 5명 중의 5등. 선생님은 그냥 달리는 것에 집중하라고 했다. 역시 나는 5 등.

달리는 데 응원하는 엄마가 보였다. 나는 엄마에게 달려가 자랑하고 싶었다. 달리기는 잊어버리고 엄마에게 달려갔다. 엄마는 얼마나 놀랐는지 빨리 뛰라고 했다.

그때 선생님께서 오셔서 나를 데리고 같이 달려주었다. 그사이 나보다 늦게 출발한 친구들이 나를 앞지르고 있었다. 그럼 난 5등이 맞기는 한 걸까. 나는 왜 발이 빠르지 못할까. 엄마는 운동회 때마다 1 등 했다는데, 아빠를 닮았나?

동물카드

컴퓨터실에서 동물 편지 카드를 만들었다. 먼저 토끼를 만들었다. 이름은 '토르'였다. 그리고 강아지도 만들었는데 이름은 '초롱이'로 정하였다.

둘 다 우리 집에서 키우던 토끼와 강아지를 생각하며 만든 것이다. 다들 하늘나라로 갔지만 내가 만든 동물 카드 덕분에 다시 태어난 것 같아 정말 멋지고 기뻤다. 엄마도 이걸 보면 기뻐하겠지? 엄마한테도 가르쳐 드려야지.

나의 첫 요리 떡볶이

선생님이 '내가 관심 있는 음식 방법 만들어오기'를 숙제로 내주셨다. 나는 떡볶이인데 컴퓨터에서 방법을 조사했다. 재료 이름도 쓰고 만드는 방법도 자세히 썼다.

종이에 다 옮겨 적고 집으로 돌아왔다. 엄마는 직접 만들어 보면 어떻겠냐고 하시며 앞치마까지 메주며 기어이 만들라고 하셨다. 조사만 하면 되는 데 우리 엄마 오버다. 엄마가 도와주셔서 칼질도 처음 해보고 가스렌인지 불 켜는 것도 해보고 주방이 난장판이 되었지만 결국 나는 떡볶이를 완성했고 우리 가족이 맛있게 먹었다.

과학상상화 그리기

　　학교에서 과학상상화를 그리기 대회가 열렸다. 나는 얼굴은 로봇이고 날개가 있고 다리엔 로켓이 달린 불 뿜는 로봇을 그렸다. 머리는 냄비뚜껑이 달려 있다. 그 외에 방아 찧는 토끼랑 달, 화성, 수성 등을 그렸다.

　　"하나님 제발 대상이나 최우수상, 아니 우수상, 아니 입상만이라도 하게 해주세요."하고 빌었다. 기도가 이루어졌나 나는 우수상을 받았다. 앗싸, 정말 기분이 좋았다.

학교 앞 기초질서

얼마 전, 엄마가 교통 봉사를 하고 있었다. 그런데 한 아이가 초록불이 되자마자 바로 건너서 지나가는 차와 부딪칠 뻔했다고 말씀하셨다.

신호가 바뀌어도 좌우를 잘 살펴보고 건너야 한다고 하셨다. 차가 미처 멈추지 않고 가는 경우도 간혹 있다고 하셨다.

교통 봉사 서시는 선생님 말씀을 잘 들어야겠다. 그래야 학교 앞에서 일어나는 교통사고를 줄일 수 있고 모두가 행복해진다.

일체유심조

일 체 유심조 파이팅
모든 것이 마음먹기 달렸다.

요즘에 숙제가 너무 많아진 거 같다. 그래서 힘들어진다. 일기는 매일 있는 거지만 너무 힘들다. 그렇지만 나는 다른 애들과 다르게 힘든 병원 생활도 다 이겨냈다. 죽음의 문턱을 몇 번을 넘은 나는야 불사조다. 선생님께 혼나지 않기 위해서라도 꿋꿋이 참아 낼 거다. 일체유심조 모든 것이 마음먹기에 달렸다.

도덕 시간

　도덕 시간에 선생님께서 7번과 17번에게 책 읽기를 시키셨다. 나는 17번이다. 내 순서가 되기 전에 긴장이 많이 되었지만, 열심히 읽었다. 친구들도 함께 긴장도 하고 정말 내가 책을 읽을지 조마조마한 표정이었다. 내가 책을 읽자, 친구들이 깜짝 놀라면서 박수를 쳐 주었다. 박수를 받으니, 기분이 정말 좋았다. 진작에 용기를 내 볼걸. 나는 선택적 함묵증을 앓고 있다. 언제쯤 쉽게 얘기할 수 있을까?

선생님 돕기

원래 집에서 택견 차를 기다리는 데 비가 와서 3시 20분에 택견 차가 학교 정문으로 온다고 했다. 선생님이 기다리는 동안 일을 도와 달라고 했다. 한자 학습지 끼워 넣기였다. 다 하고 나니 3시 20분이 넘었다. 나는 빨리 정문 앞에서 택견 차를 탔다. 다음에 시간이 있으면 선생님을 또 도와드릴 거다. 선생님을 도와서 신나고 뿌듯했다.

나팔꽃 심기

　수학 시험 끝나고 밖에 나가서 나팔꽃을 심었다. 맨 먼저 화분에 낙엽을 가득 담고 그다음은 모종삽으로 흙을 퍼서 담았다. 그리고 나팔꽃을 심은 뒤에 흙으로 덮어주고 모종삽으로 꾹꾹 눌러주었다. 이제 나팔꽃 몇 개 남았다. 나팔꽃이 자라는 과정이 기대된다.

교통사고

　　피아노를 마치고 집에 가려는데 피아노 차가 택시와 부딪혀서 사고가 났다. 그래서 몇 분 동안 기다려야 했다. 이렇게 늦게 가는 수요일은 처음이다. 아니, 수요일은 당연히 늦게 가지만 오늘은 아주 늦었다. 그래도 다행히도 앞에 있는 태권도 학원 선생님이 데려다주셨다. 정말 다행이다. 엄마는 이유도 묻지 않고 늦게 왔다고 야단치겠지? 오늘은 사고 소식을 알려서 엄마를 이해시켜야겠다.

피아노야 안녕!

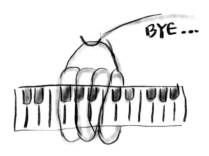

  피아노 학원에서 드디어 바이엘 3권과 반주 1권을 할 거다. 처음에 바이엘 3권이 몹시 어려웠다. 그렇지만 점점 성장해 가며 외울 수 있었다.

  이렇게 피아노를 좋아하던 내가 단계가 올라갈수록 피아노 배우는 것이 버거워지기 시작했다. 드디어 피아노 치는 것 자체가 너무 싫어졌다.

  엄마는 계속 치기를 원했지만, 선생님은 전공도 하지 않을 건데 시간 낭비라고 했다. 결국 엄마는 피아노가 있으면 미련이 남는다고 당근에 나눔을 하셨다.

피아노 차와 숨바꼭질하기

〈제1장〉

내가 방과 후를 마치고 일어난 일이었다. 방과 후가 4분 정도 늦게 끝났기 때문에 어차피 늦은 거 조금 느리게 갔다. 그런데 그 사이에 피아노 차가 가고 있었다. 그래서 정말 초고속으로 달렸지만 차는 나를 약 올리는 것처럼 쌩하고 가버렸다. 할 수 없이 그냥 걸어가는데 정말 힘들었다. '늦었다' 속으로 생각하며 걸음을 빨리했다.

〈제2장〉

그때 피아노 차 번호인 5178이 보였다. 나는 다시 초고속으로 달렸다. '후유'역시나 차는 따라잡지 못했다. 할 수 없이 집으로 돌아갔다. 도착한 시간은 3:34분쯤. 3시 40분쯤에 원장님이 우리 집으로 오셔서 '우민아, 우민아, 우민아!!' 하고 외쳤다. 나는 텔레비전을 보고 있어서 얼른 끄고 잠바를 입고 열쇠를 찾느라 조금 늦어졌다. 그랬더니 차는 또 가버리고 말았다. 오늘은 정말 피아노 차와 숨바꼭질이라도 하는 것 같았다.

〈제3장〉

그사이 전화는 10번 가까이 울리고 있었다. 하지만 나는 못 들은 척하고 그냥 걸어가야만 했다. 거의 3km가 되는 것 같았다. 피아노학원에 도착했을 때는 거의 5시가 다 되어 가고 있었다. 5시 15분쯤에 택견 차가 와서 집으로 데려달라고 해서 집으로 왔다. 휴대폰을 보니 부재중 전화가 5건을 넘어 있었고 문자는 3건이나 와 있었다.

엄마의 목소리는 들을 수 없었지만 아주 화난 것 같은 문자였다. '전화 받아라.' 그 다음 문자는 조금은 화가 누그러진 것 같았다. '민들레, 10분 내로 전화 안 받으면 경찰서에 신고한다. 무슨 일이 생긴 건지 알 수가 없잖아.' 마지막 문자에서 나는 엄마가 나를 얼마나 걱정하고 있는지 알 수 있었다. '들레야, 대체 무슨 일이야 전화 좀 받아.' 난 그 문자를 보고 왠지 눈물이 나 엄마에게 전화를 걸었다. 엄마는 별일이 없으니, 다행이라고 했다.

방과 후에서 4분 늦은 것이 엄청난 일로 변해버렸다. 약속 시간이 정말 중요한 것 같다. 나 때문에 엄마만이 아니고 선생님들도 모두 걱

정하셨다. 하지만 음악 선생님은 걸어오는 용기가 생겨 기쁘다고 하셨다. 나도 사실은 전율 넘치는 하루였다.

난 동화 작가가 되고 싶어 연습으로 써 보았다. 물론 이 이야기는 다 진짜다.

짝꿍 바꾸는 날

짝꿍을 바꿨다. 여자 친구들이 먼저 제비뽑기를 해서 나는 고유리하고 짝꿍이 되었다. 나랑 같은 5단지에 산다고 했다. 새 짝꿍이 생기니 좋다. 전에 짝꿍도 좋았는데 같은 아파트에 사는 유리가 더 좋다. 학교도 같이 다닐 수 있으니까 말이다.

엄마는 짝꿍이 마음에 들지 않아 운 적이 있다고 했다. 그 친구는 남자였는데 피부병을 앓고 있어서 친구들이 꺼리는 친구라고 했다. 결국 엄마는 짝꿍을 바꿨고 그 친구는 혼자 앉게 되었다고 했다.

집에 돌아와 생각한 엄마는 그냥 그 친구랑 앉기로 했는데 어른이 된 지금도 친구로 잘 지내고 있다고 했다.

4장

초록 책상

중앙도서관

독서 마라톤을 한 뒤로, 책에 관심과 흥미, 재미와 재능을 가지게 되었다. 방학 동안에는 오전 9시부터 12시까지는 도서관에서 책도 읽고 공부도 한다.

독서 마라톤은 벌써 1,526쪽이다. 이제 3,774쪽만 하면 된다. 며칠 전부터 시작한 구몬학습 한자와 수학을 한다. 하루에 3장씩 꼬박꼬박 풀어서 벌써 국어는 모레만 하면 끝이고 수학은 내일만 하면 된다. 하지만 방심하면 안 된다.

집에서는 엄마가 전기요금 많이 나온다고 선풍기만 틀어주는데 도서관은 에어컨이 나와서 좋다. 도서관에서 할 일을 다 마치면 기분이 아주 좋다. 왜냐하면 신나게 놀 수 있다.

재수 없는 날

도서관에서 휴대전화를 잃어버렸다. 이번 겨울은 나에게 운이 나쁜 계절이다. 휴대전화도 잃어버려 그것 때문에 엄마에게 기분 나쁜 말도 들었다. 컴퓨터 하다가 넘어져서 화가 났다. 동네 산책을 하려고 나갔다가 들어오니 감기에 걸리고 말았다. 그래서 내가 좋아하는 택견도 못 가게 되었다.

엄마가 화가 풀리셨는지 잃어버린 건 어쩔 수 없다며 핸드폰을 새로 사자고 하셨다. 하지만 별로 일주일 후에 사준다고 하셨다. 그런데 하루 만에 사주셨다. 혼자 있는 나와 소통이 안 되니 엄마가 답답한 모양이다. 나도 다음부터 내 물건을 소중히 생각해야겠다. 감기도 얼른 나아 택견도 가고 싶다.

열 살 아저씨와 봉사활동

'열 살 아저씨'라는 책을 읽었다. 책 속에 아저씨는 참 재미있다. 왜냐하면 열 살에서 더 이상 나이를 먹고 싶지 않아서 계속 열 살로 산다고 하였다. 그 아저씨는 아주 착하신 분이다. 할머니, 할아버지께 머리를 깎아드려서 가끔 이발사 노릇을 한다. 열 살 아저씨는 만두 할머니의 손자가 된다고 하였다. 가끔 할머니께 머리카락도 잘라주신다.

나도 엄마 따라 요양원에 2년 정도 봉사활동을 다녔다. 처음에 그곳에서 나는 냄새 때문에 문밖으로 도망갔지만, 하루 이틀 지나면서는 그 냄새에도 익숙해지고 할아버지와도 친해졌다. 내가 병원에 오래 있게 되면서 봉사를 멈추게 되었다.

독서마라톤 상장

서귀포 학생문화원에서 책을 많이 읽어서 상장과 상품권 3만 원을 받았다. 내가 멋져진 느낌이다. 1년에 한 번씩 받았지만, 올해는 특별히 기분이 좋았다. 우당 독서 마라톤도 4년이나 완주를 했고 상도 받았었다.

나의 꿈은 작가다. 어릴 때 교회에서 선생님이 박사가 되면 좋겠다고 해서 박사가 꿈이었지만 지금은 작가가 되어서 꿈을 이루고 싶다.

초록 책상

　이사를 했다. 어떤 아주머니가 우리 아파트가 좋아서 집을 바꾸었다. 집안에 들어오니 내방이 2개 있었다. 하나는 노는 것과 자는 방이고, 또 하나는 공부 방이다. 내 방이 있어서 더 참 좋다.

　우리 집에 가구들이 왔다. 나는 정말 신났다. 왜냐하면 내 책상이 왔기 때문이다. 그리고 아주 멋졌다. 초록색이다. 책상이 들어오니 내 방이 아닌 것 같아 낯설었다. 새집에서는 어떤 일이 일어날지 정말 신난다.

엘리베이터의 비밀

한 아파트에 사는 주민들은 엘리베이터에 5명이 타면 엘리베이터가 멈추는 이상한 일을 경험한다. 처음에는 단순한 고장이라고 생각했지만, 시간이 지날수록 이상한 일이 벌어진다. 그래서 주민들은 절대로 5명이 타지 않는다.

어느 날 한 아이가 이사를 왔다. 4명이 타고 있는 엘리베이터에 타고 말았다. 그 순간 엘리베이터가 멈추면서 불이 꺼졌다. 잠시 후 불이 켜지고 그 아이가 사라지고 말았다.

주민들은 아이를 찾기 위해 노력하지만 아이는 어디에서도 찾을 수가 없었다. 그 시기에 7층에 이상한 아저씨가 이사를 왔는데 그 아저씨는 항상 마스크와 모자를 항상 쓰고 다녔고 밤에만 돌아다녔기에 주민들은 그 아저씨를 의심하기 시작했다.

그러던 중 7층의 아저씨가 엘리베이터에 숨겨진 비밀을 찾아냈다. 이 비밀은 주민들의 안전을 위협하는 일이었다. 주민들은 서로 협력하고 자신의 희생을 감수해서 결국 주민을 해결했고 아이를 찾아냈다.

아저씨는 엘리베이터의 비밀은 주민들에게 알려주지 않고 떠나버렸다. 과연 아이는 어디에 있었던 걸까?

도서관 레스토랑

도서관에서 엄마와 각자가 좋아하는 책을 읽었다. 엄마는 사실 책을 읽은 게 아니라 강의 자료를 만들었다.

나는 무서운 이야기를 좋아해서 여기저기 돌아다니며 책을 읽었다. 그리고 도서관에서 운영하는 식당에서 스파게티와 새우볶음밥을 시켜서 먹었다.

토마토소스와 면이 어우러진 스파게티는 부드러운 식감이 정말 좋았다. 새우볶음밥은 엄마가 시켰는데 새우와 채소가 어우러진 색깔이 정말 예뻤다.

도서관에서 책도 읽고 밥도 먹을 수 있어서 마치 레스토랑에서 맛있는 음식을 먹으며 휴식을 취하는 것처럼 행복했다.

가끔 도서관에 와서 엄마랑 함께 책도 읽고 밥도 먹고 싶다.

벼룩시장

　도서관에서 하는 벼룩시장에 참가하기로 했다. 벼룩시장에 내놓을 물건들을 찾아보는데 줄넘기만 보였다. 그래도 몇 개 가지고 가야 하는데 어떡하지?

　어쩔 수 없다. 내가 좋아하는 책들을 가지고 가야겠다. 나는 책장을 열고 책을 찾기 시작했다. 엄마는 벼룩시장에 갈 물건들을 담은 가방을 들고 오셨다. 그 안에는 내가 입기엔 작은 옷들과 장난감, 인형들이 담겨 있었다.

　벼룩시장은 사용하지 않는 물건을 다른 사람들과 공유하면서 환경을 보호할 수 있어 참 좋다.

사탕

맛있는 사탕

맛난 사탕

달콤 달콤

아이고 달다

아이고 달다

오물오물 달다

오물오물 달다

5장

우리 집은 농장

오이고추 방울토마토 상추 블루베리

우리 집 텃밭

오일장에서 오이고추, 피망, 고추, 상추를 샀다. 엄마는 마당 여기 저기에 모종을 심었다. 다음에는 방울토마토랑 블루베리도 샀다. 하루하루 지날 때마다 상추가 자라고 고주가 열리고 방울토마토도 열렸다.

하나가 익으면 따먹고, 또 익으면 따먹는 재미가 쏠쏠했다.

블루베리도 열리기 시작했고 엄마는 그물망으로 감싸주었다. 블루베리는 새가 정말 좋아한다고 했다. 오이고추는 맵지도 않고 아삭하고 맛있다고 했다. 정말 기다려진다.

장미

　며칠 전에 엄마가 장미를 사 오셨다. 향기도 좋고 꽃도 예뻤다. 엄마는 하루에 한 번씩 장미 향을 맡았다. 엄마가 어릴 때 살던 집은 마당에 잔디가 있고 봄에는 철쭉이 여름에는 담장에 장미꽃이 가득 피었다고 했다. 엄마는 옛날 집이 너무 좋았다며 우리 집도 담장 가득 장미를 키우고 싶다고 했다. 그런데 엄마가 사 온 장미는 덩굴장미가 아니라 나무 장미라 담장을 감싸기는 힘들다는 걸 나중에 알았다. 그래도 엄마는 좋다고 했다. 내가 나중에 덩굴장미 사드리고 싶다.

엄마표 연못

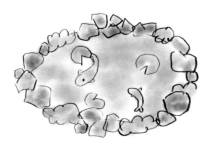

　내가 택견에 가려고 나왔는데 엄마가 땅을 파고 있었다. 연못을 만들 거라고 했다. 학원을 다녀왔는데 그때까지도 엄마는 여전히 땅을 파고 있었다.

　내가 올 때까지만 하려고 했는데 막상 끝내려고 하니 마무리하고 싶어졌단다. 엄마는 7시가 넘어서야 연못을 완성했다. 물도 채워 넣고 붕어도 넣고 부레옥잠도 넣었다.

　완전 멋있었다. 엄마는 못 하는 게 없는 것 같다.

감 씨가 감나무가 되다

감 씨를 발견했다. 텃밭에 심었다. 물도 매일매일 주는 것을 잊지 않았다. 꼭 크게 해서 나도 따먹고 우리 집에 오는 손님들도 드려야지.

감이 새싹이 나기는커녕 소식도 없었다. 엄마는 그 맘을 알았는지 장에 가서 감나무를 사다가 감 씨를 심은 곳에 심어주었다.

감나무는 잘 키워서 감이 주렁주렁 열리게 해야지. 하나님 꼭 잘 자라게 해주세요.

토끼와 볼라벤

학교에서 소풍을 가서 토끼를 보고 나는 엄마를 졸라 암컷 수컷 두 마리를 샀다. 토끼장도 샀다. 어느 날 아침에 마당에 나가보니 아기들이 토끼장 밖에서 죽어 있었다.

아빠 토끼는 아가들이 침입자라고 생각하고 밖으로 내보낸다고 했다. 그래서 아이들이 죽었다. 우리는 토끼장 하나를 더 사서 따로 키웠다. 가끔 마당에 풀어주기도 했다.

다시 아기가 태어났다. 겨우 한 마리가 잘 자라기 시작했다. 그런데 그만 볼라벤 태풍이 분 날 이불도 덮어주고 했지만, 엄마 토끼가 놀랐는지 뛰다가 아기를 밟았나 보다. 아기가 죽어 있었다. 우리 가족은 더 이상 아빠 토끼와 엄마 토끼를 함께 있지 못하게 마당에 풀어줄 때도 따로 풀어주었다.

토끼에게 빼앗긴 수박

마당에 수박을 키웠다. 설마 열리겠나 하는 마음으로 지켜봤는데 2개나 열렸다. 하나는 정말 컸고 하나는 반 정도 되었다.

드디어 수박을 먹을 수 있다는 생각에 엄청나게 설렜다. 그때 초인 종이 울렸고 엄마 친구가 딸과 함께 놀러 왔다. 아이는 토끼가 귀엽다며 풀어줘도 되냐고 물었다. 토끼는 마당을 뛰어다녔다.

그 사이 우리는 국수를 만들어 먹자며 한참을 주방에 있었다. 국수는 정말 맛있었다. 엄마와 이모는 수다 삼매경, 나는 친구와 놀이 삼매경. 그때 엄마가 우리 수박 따서 화채를 해 먹자고 해서 우리 넷은 마당으로 나갔다. 아뿔싸. 토끼가 수박을 이곳저곳 다 파먹어서 도저히 먹을 수가 없었다. 정말 먹고 싶었는데 망했다.

사슴벌레와 병아리

　엄마가 사슴벌레를 사주셨다. 아직 작지만 어른이다. 이름은 '왕사슴'이라고 지었다. 남자인지 여자인지는 모르겠지만 많이 지내다 보면 알 수 있을 것 같다. 사슴벌레 책도 읽었으니 잘 키울 수 있다.

　엄마는 어릴 때 병아리를 키워봤다고 했다.

　병아리는 엄마가 학교를 가면 쪼르르, 다녀오면 삐악삐악. 그 모습이 예뻐서 하루는 주방으로 갔다가 안방으로 갔다가 병아리는 쪼르르 삐악삐악 정말 신나는 하루였다. 다음 날 아침 일어나 보니 병아리가 죽어 있었다고 했다. 할아버지의 목장갑을 끼고 마당 철쭉꽃 아래 묻어주었다. 다음 해 철쭉꽃이 유난히 반짝거렸다. 할머니는 병아리가 꽃으로 태어났나보다고 말씀하셨다.

대걸레 산이

택견차를 기다리는데 강아지 2마리가 보였다. 한 마리는 내가 보자 도망가고 한 마리는 내 앞으로 와서 내게 비비적거렸다.

나는 집으로 돌아와 엄마께 강아지를 키우고 싶다고 했다. 마침, 아는 이모 집에서 키우던 강아지를 키우게 되었다. 이름은 '산이' 산으로 들로 뛰어놀던 아이라 온몸이 마치 대걸레 같다고 해서 별명이 대걸레였다.

하루 종일 집 안에 있던 흙에서 뒹굴뒹굴 집 밖으로 나가 하루 종일 산으로 들로 뛰어다니다 들어온 산 이는 언제나 땟국물이 줄줄 우리는 산이를 씻겨주는 일로 하루가 마무리되었다.

하루는 밖으로 나갔다 나온 산이가 온몸을 긁고 난리가 났다. 털들을 들춰보니 산이의 피를 빨아먹은 진드기가 산이 몸에 찰싹 들러붙어 있었다. 병원에 가서 털을 모두 깎고 진드기 퇴치를 하고 약을 먹였다. 그렇게 우리와 잘 살다가 하루는 밖에 나갔다 와서는 아무것도 못 먹고 끙끙 앓았다. 병원에 데려갔는데 가망이 없다고 했다. 나이도 들고 무엇을 잘못 먹었는지. 병원에 하루 입원시켰지만, 병원에서 데려가라고 했다. 엄마는 초록색 담요에 아이를 감싸 안고 집으로 돌아와 산이를 계속 만져주고 했지만 결국 하늘나라로 떠났다. 그때 우린 정말 펑펑 울었다. 우리 대걸레 산이 천국에서 행복하게 지내렴.

홀로 떠나간 새

며칠 전에 새를 샀다. 강아지를 사고 싶었지만, 엄마가 반대하셨다. 그래서 결정한 것이 백문조다. 키우기도 쉽고 목소리도 좋다고 했다. 정말 새소리가 좋았다.

처음엔 집 안에서 키웠다. 그런데 자꾸 내가 재채기도 하고 엄마가 냄새가 난다고 처마 밑에 새장을 묶어 주었다.

아침에 나가보니 새장이 열리고 새가 사라지고 없었다. 어디로 갔을까?

주룩주룩 비가 온다

 비가 아주 많이 왔다. 주르륵주르륵! 비가 많이 와서 밖에도 못 가고 심심하다. 오늘 일기예보에서 내일도 비가 많이 온다고 했다. 내일은 무엇을 하며 놀까? 강아지도 비가 와서 자기 집에서 꼼짝을 하지 않는다.

고드름

고드름아,

너는 왜 이렇게 차갑냐?

고드름아,

너는 왜 거꾸로 자라냐

고드름아,

너는 왜 추운 겨울에

박쥐처럼 거꾸로 매달려있냐

고드름아

너 한 번 먹어봐도 되나?

눈사람

　눈이 왔다. 그것도 아주~ 많이. 모처럼 일요일을 맞았는데, 그것도 외식하기로 한 날 이렇게 눈이 많이 오더니. 나가지도 못하고 너무 아쉽다.

　엄마는 꼭 아이 같아. 눈이 오니 마당에 나가 눈사람을 만든다. 나보고 나오라고 야단법석이다. 나는 창문 너머로 엄마만 바라볼 뿐이다. 엄마는 여전히 혼자 눈사람을 만든다. 다 만들고 나서야 나는 눈사람과 사진을 찍었다. 엄마는 나보고 치사하다며 사진도 못 찍게 했다. 치사하다.

6장

여행은 즐거워

봄이 왔어요

봄이 왔어요.

봄이 왔어요.

봄이

방긋방긋 해가 웃어요.

나무가 쑥쑥 자라요.

봄은 따뜻한 계절

한라산엔 눈이 와요

나비와 벌이 꽃을 찾아 떠나요.

한라산에는 가지 마

거긴 아직도 눈이 와

벚꽃

흔들리고 흔들리는 그대여

정의롭고 정의로운 그대 이름은 벚꽃이여

제주시 가는 길

그는 살랑살랑 잘도 흔들리네

우리 가족의 발목을 잡은 그대여

그리고는, 멀리멀리 떠나가네!

한림공원 나들이

모처럼 가족끼리 놀러 가자고 엄마가 그러셨다. 그래서 한림공원으로 갔다.

첫 번째 야자 공원은 그저 그랬다. 그런데 점점 갈수록 재미있어졌다. 핫바도 먹고 좋았다. 유채꽃과 벚꽃도 피었다. 아름다웠다.

그리고 위에 내용에 안 썼지만, 나무 그루터기에 서니까 엄마가 똥 싸는 것 같다고 한 게 너무 웃겼다. 봄나들이는 언제나 행복하다. 꽃들도 행복한지, 바람 소리에 깔깔깔 웃고 있는 것 같다.

범섬 소풍

우리 동네는 범섬이 보이는 정말 멋진 바닷가 동네다. 물론 바닷가가 바로 보이는 것은 아니다. 갑자기 엄마가 범섬 앞으로 소풍을 가자고 했다. 한창 유채꽃이 필 때라 더욱 예뻤다.

거기에는 돌 테이블이 있었다. 엄마는 화병, 보온병, 컵라면, 식탁보를 준비했다. 식탁보를 펴고, 화병에 유채꽃 하나를 꽂았다. 그리고 보온병에서 뜨거운 물로 라면에 물을 붓고 엄마 친구가 김밥을 사와 함께 나누어 먹었다.

지나가는 사람들이 낭만적이라며 부러워했지만 나는 사람들의 시선이 싫었다. 그래서 사람들이 안 보이게 범섬을 보고 앉았다. 사실 멋지긴 멋졌다.

아프리카 박물관

　서귀포에 이사 와서 놀러 가고 싶은데 어디를 가야 할지 몰라 무작정 차를 타고 나오긴 했는데 막상 우왕좌왕하고 있을 때 관광버스가 지나가고 있었다. 그때 우리는 무작정 그 버스를 따라가기로 했다. 그 버스가 처음 멈춘 곳이 아프리카 박물관이었다. 엄마와 나는 엉뚱함이 닮아 참 좋아. 무계획의 여행.

　아프리카 박물관 밖에는 기린, 악어, 사자, 코끼리들이 모형으로 있었고 행운의 황금 바 위에 동전을 던져 그곳에 들어가면 소원이 이루어진다고 했다.

　안에는 아프리카 사람들의 이야기, 조개로 만든 가면, 아프리카 지도, 원숭이들이 보였다. 무계획의 여행이 특별하고 멋진 여행이 되었다. 다음에도 이렇게 계획 없이 떠나고 싶다.

엉또폭포

엉또폭포에 갔다. 비가 와야 폭포가 생기는 곳이다. 비가 와서 우리는 그곳에 갔는데 비가 조금 와선지 폭포의 물이 적어서 아쉬웠다.

그렇지만 그곳에서 산딸기도 따 먹었다. 엄마는 맛있다고 했다. 나도 산에서 먹는 딸기여서 그런지 더 맛이 있었다.

그리고 쭈욱 내려가니까 동굴이 있었다. 그곳에 들어가고 싶었지만, 물이 있어서 들어가지 못했다.

엉또폭포는 평소에는 물줄기가 없다가 비가 오고 난 후에 폭포가 형성되는 신기한 폭포다. 다음에 비가 오면 꼭 다시 가봐야겠다.

믿거나 말거나 박물관

어린이날이다. 내가 젤 좋아하는 짬뽕을 먹고 '믿거나 말거나' 박물관에 갔다. 이상하게 생긴 조형물들이 많았다. 거기에 키가 270cm나 되는 거인 남자가 있었다.

난 키가 작아서 키 큰 사람이 부럽다. 하지만 270cm는 너무 크긴 크다. 엄마는 다 자기마다 장점이 있다고 장점에 집중하라고 했다. 그래도 아쉬운 건 사실이다. 그래도 오늘 짬뽕도 먹고 엄마와 잠깐이지만 여행도 즐겁다.

한라산 둘레길

한라산 둘레길에 갔다. 5~6시간 걸린다. 하지만 우리는 3시간 30분만 걷기로 했다. 이상하게 1시간 정도 걷고도 힘이 들지 않았다. 택견 덕분인 것 같다. 사진도 찍고 재밌는 이야기도 하며 가다 보니 벌써 내려가는 입구가 나왔다. 내가 3시간 이상을 걷고도 이렇게 멀쩡하다니 전에 윗세오름 다녀왔을 때는 정말 힘들게 다녀오고 게다가 다녀오고 나서 병원에 입원까지 했는데 말이다. 다음에도 오름에 가면 좋겠다.

요트투어

오후 3시, 엄마와 뷔페를 먹고 기다리고 기다리던 요트를 탔다. 타기 전 구명조끼를 입고 탑승하였다. 엄마는 요트를 탄다고 예쁜 드레스 같은 옷을 입고 왔는데 구명조끼를 입으라 해서 입이 삐죽 나왔다.

요트에는 구경하면서 먹을 수 있게 과일, 과자 등이 많았다. 나는 구경하느라 먹지 않았다. 가는 날이 장날이라고 파도가 심했다. 바람도 많이 불었다. 나는 추웠지만 좋았다. 낚시하는 코너도 있었다. 아무도 못 잡는데 내가 한 마리 잡았다. 그런데 너무 작아서 풀어주었다. 그때 바람이 휭 하고 불었다.

파도와 바람에 요동치는 요트 때문에 엄마가 넘어졌다. 설상가상으로 파도가 더 일렁여서 엄마는 일어나지 못하고 무릎까지 까졌다.

걱정되었지만 한편으론 엄마의 모습이 너무 웃참(웃음 참기) 실패.

같이 탄 분이 도와주셔서 다행히 엄마가 다시 일어설 수 있었다. 살면서 이런 체험 한 번은 해 봐야 한다며 엄마가 마련한 이벤트지만 엄마는 어떤 느낌이었을까? 난 정말 재미있었다. 기회가 되면 꼭 한 번 더 타고 싶다.

고근산 나들이

운동할 겸 오늘 고근산에 놀러 갔다. 새집도 보고 사진도 찍고, 망원경도 있어서 멀리 있는 섬도 보았다. 나는 키가 작아 엄마가 안아주셔서 볼 수 있었다. 잘 보이지는 않았지만 거기 설명서를 보면서 살펴보니 재밌있었다.

예전에 산굼부리에 놀러 갔을 때도 억새가 많아서 기분이 좋았는데 고근산에도 산굼부리에도 억새가 많았다. 나는 갑자기 뒹굴뒹굴 굴러다녔다.

엄마는 진드기라도 있으면 안 된다고 얼른 일어나라고 했지만 자연은 언제나 나를 숨 쉬게 한다. 누워서 본 하늘은 정말 멋지다. 내려오는 길에 새집도 보았다. 신선한 느낌이 정말 좋았다.

일본 여행

추석 연휴가 되어서 우리는 패키지로 일본에 갔다. 이번에는 배를 타고 부산으로 갔다가 일본으로 가기로 했다. 하룻밤은 배에서 자야 한다고 했다. 배에서 먹는 라면은 정말 맛있었다.

아침 6시에 일본 항에 도착했다. 버스를 타고 후쿠오카에서 뱃부까지 우리는 호텔에서 일본온천과 수영장에서 재미있는 시간을 보냈다. 수영장에서 보는 분수 쇼는 정말 환상적이었다.

일본은 절약과 검소함이 몸에 뱄다는 이야기를 들었다. 일본에는 물을 한 방울이라도 아끼기 위해서 정수기가 없다고 했다. 정말 정수기가 없나? 나도 절약 정신으로 배워야겠다고 생각했다.

에필로그

아이의 인생을 함께 살펴보며 가족의 소중함과 사랑을 다시 한번 느낄 수 있었다. 아이의 시선으로 바라본 세상과 가족, 친구들과의 이야기는 따뜻한 감동과 제주도의 아름다움을 선사해 주었다.

이 책을 읽으면서 아이의 어린 시절의 추억을 떠올렸고, 자신의 인생을 되돌아보는 계기가 되었다. 그리고, 엄마로서 내가 아이에게 어떤 영향을 미치고 있는지, 아이가 성장하면서 어떤 어려움을 겪을 수 있는지 생각해 보게 되었다.

이 책을 통해 많은 사람이 가족의 소중함과 사랑을 느끼고, 자신의 인생을 되돌아보는 계기가 되기를 바라며, 엄마와 아이가 함께 이 책을 읽으면서 서로의 마음을 이해하고 소통하는 시간을 가졌으면 좋겠다.

돌담 속에 핀 우영팟 민들레

제주 청년 작가 성우민의 어린 시절 일기장을 통해
엄마의 인생을 함께 살펴보는 에세이입니다.

발 행 | 2024년 07월 29일
저 자 | 성우민
일러스트 | 한미경
표지일러스트 | 한미경
디자인 | 오은정
인권표현검수 | 이지민
바른우리말검수 | 이지민
후원 | 제주특별자치도, 제주문화예술재단
주관 | 서귀포 오아시스
미디어에디터 | 최인서
작품편집, 에이전트 | 박산솔, 이선경
펴낸이 | 한건희
펴낸곳 | 주식회사 부크크
출판사등록 | 2014.07.15.(제2014-16호)
주 소 | 서울 금천구 가산디지털1로 119, SK트윈타워 A동 305호
전 화 | 1670 – 8316
이메일 | info@bookk.co.kr

ISBN | 979-11-410-9759-2

www.bookk.co.kr

2024 엄마의 활주로 '함께육아에세이'의 취지에 맞게 작가의 감정 표현과
아이의 언어 표현을 지키는 방향으로 교정 교열 하였습니다.

본 책은 강원교육모두체, 학교안심(확장)바른돋움체가 사용되었습니다.

본 책은 제주특별자치도와 제주문화예술재단의 후원을 받아 제작되었습니다.